boer k

Martine Le
tekeningen van Marjolein Krijger

Zwijsen

boer koen

dit is boer koen.
dit is zijn poes noor.
koen is dik.
en noor ook.

bij koen is een koe.
er is ook een kip.
de koe is vaak bij de dijk.
met boer koen.
kijk naar de beek, koen.

koen zit bij de koe.
is er room, koen?
noor doet een poot in de room.
nee, noor!
ik maak kaas!

boer koen eet kaas.
poes noor eet room.
koen is moe.
poes noor is ook moe.

boer koen zit bij zijn raam.
poes noor zit er ook bij.
kijk naar de beek, koen.
de beek is raar!
de beek is net een zee.

daar is tim.
tim is ook een boer.
kijk naar de beek, tim.
roep boer koen.

koen, ren naar de dijk!
kijk naar de beek.
de beek is net een zee.
dit is mis.
neem de boot, koen.
vaar ver.

daar is noor.
ren naar de boom, noor.
noor doet dit.
ze is in de boom.

toe, koe.
koe moet in de boot.
met mij en met de kip.
toe, koe!
doe maar!

de kip moet ook in de boot.
neem de kip, koen!
neem de kip bij een poot.
raak!
maar bij een veer.

poe, poe.
de koe is in de boot.
en de kip is in de boot.
koen zit ook in de boot.
vaar maar, koen.

de beek is net een zee.
toe maar, beek.
ik moet naar noor.

noor is naar de dijk.
tim is naar de dijk.
koen moet ook naar de dijk.
vaar maar naar de dijk.

daar is koen.
de boot is bij de dijk.
toe, koe.
toe, kip, ren naar de dijk.
er is voer.

ik maak soep, tim.
ik roer.
soep, tim?
eet de soep maar.

koen is bij de dijk.
met noor en de kip en de koe.
kijk naar de beek, koen.
is de beek raar?
en is de beek net een zee?
nee!

Serie 4 • bij kern 4 van Veilig leren lezen

Na 10 weken leesonderwijs:

1. in de soep
Frank Smulders en
Leo Timmers

2. een zoen voor kip
Marianne Busser &
Ron Schröder en
Marjolein Pottie

3. kaat en de boot
Maria van Eeden en
Jan Jutte

4. ik ben de baas
Anneke Scholtens en
Pauline Oud

5. tijn en toen
Ivo de Wijs en
Nicolle van den Hurk

6. beer is een boot
Anke de Vries en
Alice Hoogstad

7. boer koen
Martine Letterie en
Marjolein Krijger

8. sep en saar
Brigitte Minne en
Ann de Bode